Vois-tu ce que je vois?

CHERCHE ET TU TROUVERAS!

Walter Wick

Texte français de Lucie Duchesne

Les éditions Scholastic

Catalogage avant publication de la
Bibliothèque nationale du Canada

Wick, Walter

Vois-tu ce que je vois? : cherche et tu trouveras /
Walter Wick ; texte français de Lucie Duchesne.

Traduction de: Can you see what I see?.
Pour les jeunes.

ISBN 0-7791-1630-5

1. Casse-tête--Ouvrages pour la jeunesse. I. Titre.

GV1507.P47W52814 2002   j793.73   C2002-901710-6

Conception graphique : Walter Wick et David Saylo

Édition publiée par Les éditions Scholastic,
175 Hillmount Road, Markham (Ontario) L6C 1Z7.

5 4 3 2 1   Imprimé au Canada   02 03 04 05

POUR LINDA

Je tiens à remercier mon directeur de studio Daniel Helt,
un expert en construction de maquettes, en photographie
et en infographie, mon adjointe Kim Wildey, pour son appui
et son souci du détail dans l'arrangement des centaines
d'objets utilisés dans ce livre, et enfin, mon épouse Linda,
pour sa créativité et ses judicieux conseils à chaque étape
de ce projet.

Un merci tout spécial à ma réviseure Grace Maccarone,
qui m'a soutenu depuis le début, à David Saylor pour ses
talents de concepteur graphique, ainsi qu'à Bernette Ford,
Jean Feiwel et Barbara Marcus pour leurs encouragements.
Merci aussi à Edie Weinberg et Angela Biola pour le voyage
à Buffalo, à Digicon Imaging, Inc. pour l'accueil chaleureux
et à l'expert de la couleur Ronald Tubbs pour m'avoir
généreusement transmis les secrets de son métier.

TABLE DES MATIÈRES

Vois-tu ce que je vois?

Un soleil argenté,

un chien tacheté,

un chat lustré,

une petite grenouille,

un rouleau à pâtisserie,

six souris blanches,

une toupie jaune,

onze dés,

un petit dromadaire

près d'un ressort

et un cœur.

Vois-tu ce que je vois?

Une coccinelle,

trois étoiles bleues,

un morceau de vase,

un dé qui affiche deux,

une bille terrestre,

un croissant de lune,

quatre bâtons

de baseball,

une fourchette

et une cuillère,

une pince de homard,

une boucle rouge

amusante

et un boulon

dans un camion.

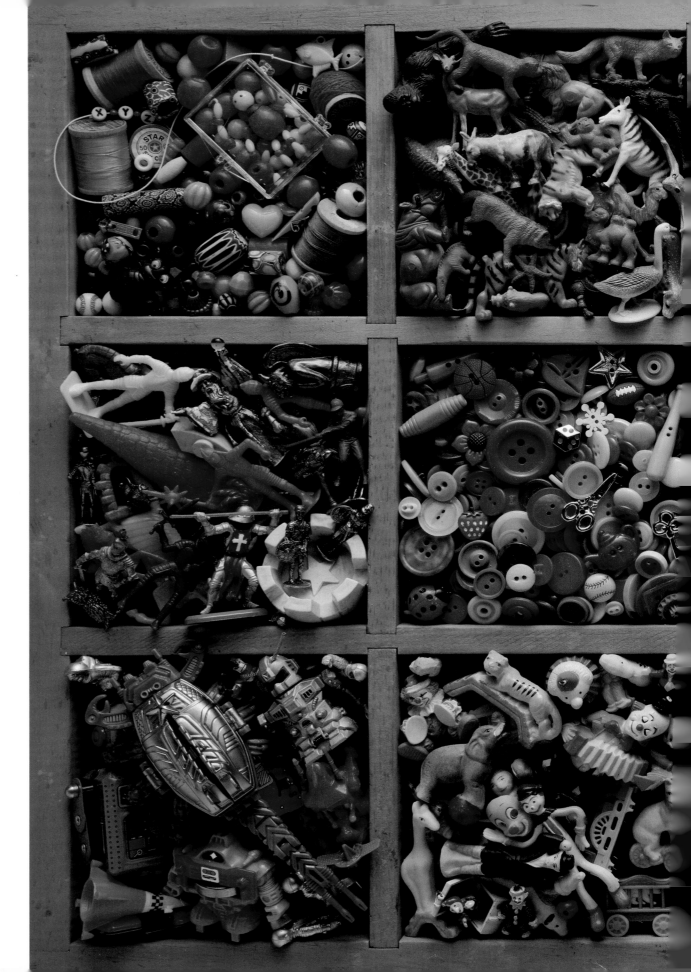

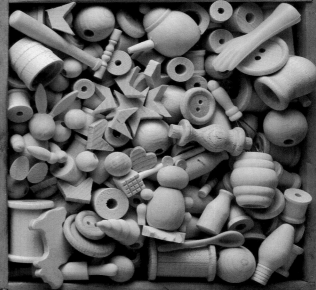

Vois-tu ce que je vois?

Une carte de 5 ¢,

une clé dorée,

un jeton rouge

sur un vingt-trois,

un cône jaune,

un drapeau qui

flotte au vent,

un téléphone,

sept chevaux,

quinze cœurs

et sept cartes

auxquelles il manque

quelque chose.

Vois-tu ce que je vois?

Un dinosaure,

une épée,

un cygne,

une paire de cornes,

un hippopotame

qui bâille,

un bateau,

trois avions,

un kangourou bleu,

un serpent,

une auto,

deux locomotives,

un bonhomme

dans la Lune,

un soleil avec un visage

et un lièvre...

assez pressé!

DANS L'ATELIER

Vois-tu ce que je vois?

Deux étoiles,

une vis,

une chaussure délacée,

sept lapins,

un kangourou,

un vieux rouleau

à pâtisserie,

un écureuil

assis là où devrait

aller un cochon,

un coq à roulettes,

une chaise berçante,

un canard

en deux morceaux

et un ours en relief.

L'EFFET DOMINO

Vois-tu ce que je vois?

Cinq quilles,

un crayon,

un clou,

deux chapeaux noirs,

la queue d'un lion,

une grenouille

paresseuse,

deux cymbales,

trois dés à coudre,

un chien obéissant,

un camion

avec des dominos,

une bille qui roule

et un clown

qui va tomber.

LE MIROIR MAGIQUE

Vois-tu ce que je vois?

Un homme

avec une hache,

une fille avec un balai,

le panier d'un pêcheur,

un champignon géant,

deux chats,

un raton laveur,

un chemin vers

une maison,

une fourchette,

un couteau,

une cuillère,

un vieux magicien,

une tour en brique,

un bras en écharpe

et six tours de magie

dans le miroir.

Vois-tu ce que je vois?

Deux papillons,

une ancre, un poisson,

un biberon,

une assiette fumante,

une chaise,

un panda,

une oie

avec un chapeau,

des jumelles,

trois souris,

un orignal,

un diablotin

sortant d'une boîte

et dix objets

qui correspondent

aux dix images

sur les cubes.

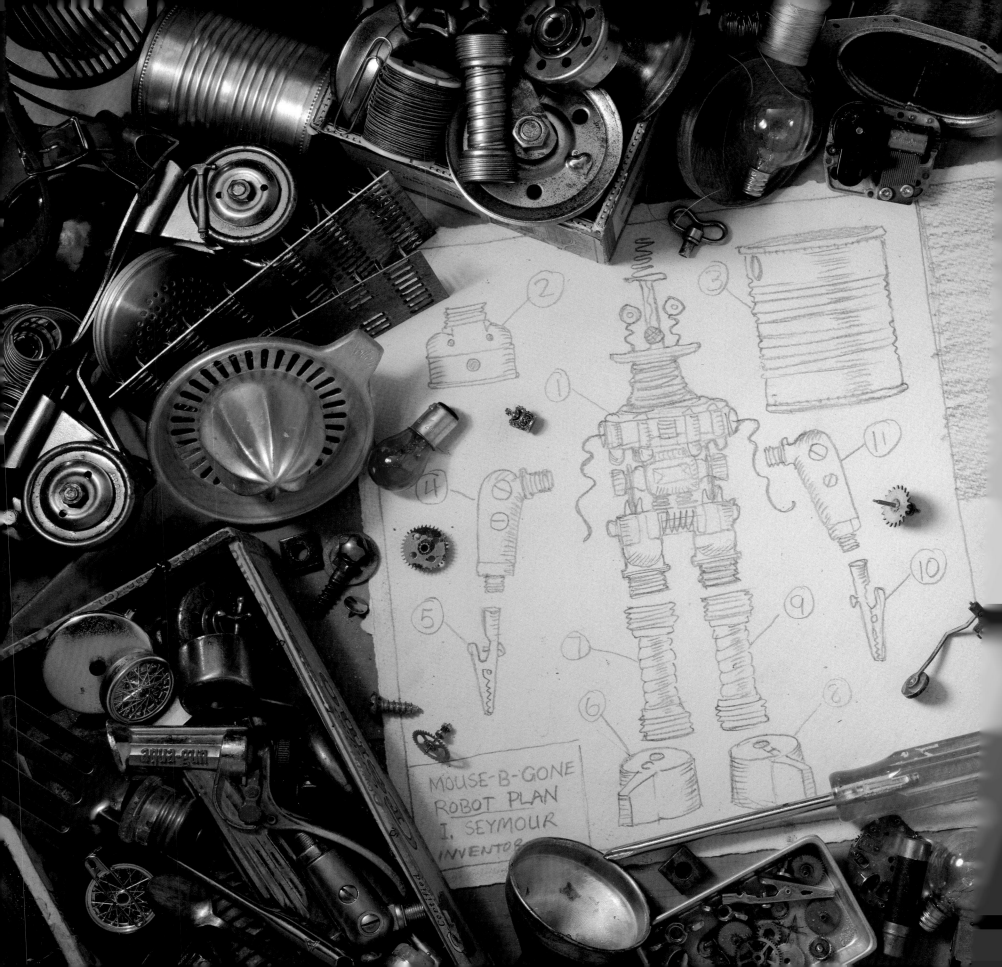

MOUSE-B-GONE
ROBOT PLAN
I. SEYMOUR
INVENTOR

Vois-tu ce que je vois?

Un patin à roulettes,

un vieux bateau,

un gant de baseball,

un trombone,

un grelot,

un pistolet à eau,

une souris

prête à s'enfuir,

une poêle à frire,

deux cœurs en argent

et onze morceaux

de robot.

VROUM! VROUM!

Vois-tu ce que je vois?

Un hot-dog,

un camion au début

de son trajet,

neuf drapeaux jaunes,

trois flèches,

des frites,

une boisson gazeuse,

deux pattes de tigre,

une planète,

une voiturette,

quatre bosses

de chameau

et un hibou.

Vois-tu ce que je vois?

Un aimant,

une pomme,

un gland, un dard,

une brosse à dents,

une baignoire,

trois soldats

avec une épée,

une bille, une tasse,

un bracelet,

une coccinelle,

une brouette,

un poisson rouge,

un cerf-volant,

un tee de golf à l'envers

et un labyrinthe

de A à Z.

Vois-tu ce que je vois?

Cinq avions,

un taxi,

un nœud

dans une ficelle,

le bec d'une théière,

un chevalier,

un roi,

un ourson

avec une boucle,

un ourson avec du miel,

deux trompes

d'éléphant,

un lapin endormi,

un réveille-matin...

et dix pièces

qui manquent

à dix jouets brisés.

Il y a près de 30 ans, j'ai eu mon premier emploi de photographe dans un studio commercial. Comme j'étais le plus jeune, on me réservait les tâches que les autres trouvaient ennuyeuses : photographier des articles de couture, des attaches, des roulements à bille et des pièces de quincaillerie. Mais cela ne m'ennuyait pas. C'était pour moi tout un défi que de trouver la luminosité et les ombres parfaites, et j'adorais réaliser des images précises qui semblaient aussi réelles que les objets.

Quelques années plus tard, j'ai ouvert mon premier studio. Je cherchais des sujets plus amusants que les boulons et les écrous, et j'ai fait une série de photos avec des petits objets colorés qui avaient enchanté mon enfance. Avec l'encouragement d'un directeur artistique du magazine *Games,* j'ai commencé à assembler ces objets, un peu comme un casse-tête. Quelques jouets de plastique, plusieurs petits miroirs, puis beaucoup d'essais et d'erreurs, et j'ai enfin créé ma première photo-mystère, qui a été publiée dans *Games* en 1981.

Pendant les dix années qui ont suivi, j'ai produit différents types de photos, aussi bien à des fins scientifiques que littéraires. Mais j'ai aussi continué à créer des photo-mystères pour *Games,* toujours heureux de travailler avec cette équipe de magiciens des énigmes. Puis, en 1991, j'ai collaboré avec l'auteure et éducatrice Jean Marzollo pour créer le premier album de la série *C'est moi l'espion.* La popularité de cet album a été stupéfiante, et pendant dix autres années, je me suis consacré presque exclusivement à cette série.

Vois-tu ce que je vois? marque une autre étape de ma carrière. Dans ce livre, j'ai essayé de combiner des énigmes classiques et accessibles avec d'autres types d'énigmes. Certaines énigmes sont des labyrinthes sans fin, tels « L'effet domino », « Vroum! Vroum! » et « Le labyrinthe de A à Z ». « Le jeu des cubes », « Les pièces détachées » et « Quel fouillis » sont des jeux d'association. Dans « Le miroir magique » et « Le jeu de cartes », il faut trouver l'intrus. « Le jeu de la ficelle » et « Les casiers » sont de simples énigmes. Enfin, « Les rayons X » et « Dans l'atelier » sont des illusions d'optique. Dans ce dernier jeu, il faut tourner l'album à l'envers pour voir l'ours. Vous devrez peut-être isoler l'ours du fond avec les mains ou avec une feuille de papier pour apercevoir l'illusion.

Les photos ont été réalisées avec des chambres photographiques grands formats et de la pellicule Ektachrome 64T. Les six tours de magie, dans « Le miroir magique », ont été faits en combinant des photos à l'ordinateur.

— Walter Wick

34

Walter Wick est le photographe de la série *C'est moi l'espion*. Il a remporté aux États-Unis de nombreux prix prestigieux décernés, entre autres, par l'association des bibliothécaires américains, des journaux comme le *New York Times* et le magazine *Scientific American*. C'est lui qui a inventé les photo-mystères pour le magazine *Games*. Il a fait des photos pour des livres et des magazines, dont le célèbre *Psychology Today*. M. Wick est diplômé du Paier College of Art et habite à New York et au Connecticut avec son épouse Linda.